Mes anné
POURQU

MW01040621

La France

illustrations de
Benjamin Bécue
Pierre Caillou
Julie Mercier
Emmanuel Ristord

MiLAN

Le sommaire

C'est quoi, la France ?　6

Un pays　8

Un pays dans le monde　10

Les Français　12

Le français　13

Le portefeuille des Français　14

Les symboles français　15

Les droits et les devoirs　16

Le vote　18

Les chefs de la France　20

Un pays touristique　22

Les savoir-faire　24

Les cultures　26

La gastronomie　28

Voyons voir…　30

Un petit tour de France　32

Le nord de la France　34

Le Nord-Ouest　36

Le Nord-Est　38

Le sud de la France　40

Le Sud-Est　42

Le Sud-Ouest　44

La France des DOM-TOM　46

Voyons voir…　48

Des grandes villes 50

Paris   52

Vivre à Paris   54

Marseille   56

Lyon   58

Des villes du Nord   60

Des villes du Sud   62

Voyons voir…   64

Pages mémoire

Les reliefs   80

Les villes   81

Les régions   82

Les départements   83

Une petite chronologie   84

Des personnalités   86

Des tableaux à voir   88

Petits souvenirs de France   90

L'index   92

L'histoire de France 66

Un village gaulois   68

Un château fort   70

La cour du roi Louis XIV   72

La Première Guerre mondiale   74

La France moderne   76

Voyons voir...   78

écrire

Tous les mots de cette imagerie sont présentés avec leur article défini. Pour aider votre enfant à mieux appréhender la nature des mots, les verbes et les actions sont signalés par un cartouche.

Pour vérifier les acquis et permettre à votre enfant de s'autoévaluer, une double page « Voyons voir » est présente à la fin de chaque grande partie.

Les « Pages mémoire » en fin d'ouvrage présentent un récapitulatif de savoirs fondamentaux.

Ab
Retrouvez rapidement le mot que vous cherchez grâce à l'index en fin d'ouvrage.

En bas de chaque planche se trouvent des renvois vers d'autres pages traitant un sujet complémentaire. Ainsi, vous pouvez varier l'ordre de lecture et mieux mettre en relation les savoirs.

C'est quoi, la France ?

Un pays

La France est un morceau de terre entouré d'autres pays, de l'océan Atlantique et de la mer Méditerranée.

la mer du Nord

les Pays-Bas

la Belgique

le Luxembourg

l'Allemagne

la Manche

la France

la Suisse

la Manche

l'océan Atlantique

l'Ita[...]

la mer Méditerranée

l'Espagne

vivre en France à la montagne

vivre en France en ville

vivre en France au bord de la mer

vivre dans un autre pays

C'est quoi, un pays ?

Tu peux rencontrer des gens qui disent : «Je vis en Espagne» ou «Je vis en Suisse!». Et toi, connais-tu le nom de ton pays?

Un pays est un espace délimité fait de villes, villages, campagne... Il a souvent une histoire qui a commencé il y a longtemps.

Chaque pays a ses particularités : sa taille, son climat, sa position sur la Terre... Sais-tu où se trouve la France sur notre planète?

Un pays dans le monde **10**

Les reliefs **80**

🏝 Un pays dans le monde

La France c'est aussi tous les petits morceaux de terre verts sur cette carte.

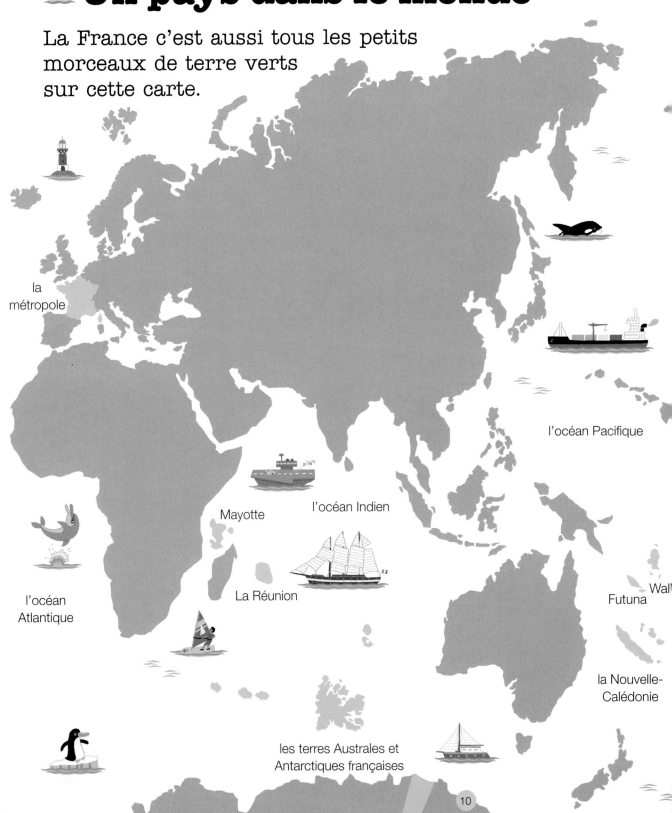

la métropole

l'océan Pacifique

l'océan Indien

Mayotte

l'océan Atlantique

La Réunion

Wal'

Futuna

la Nouvelle-Calédonie

les terres Australes et Antarctiques françaises

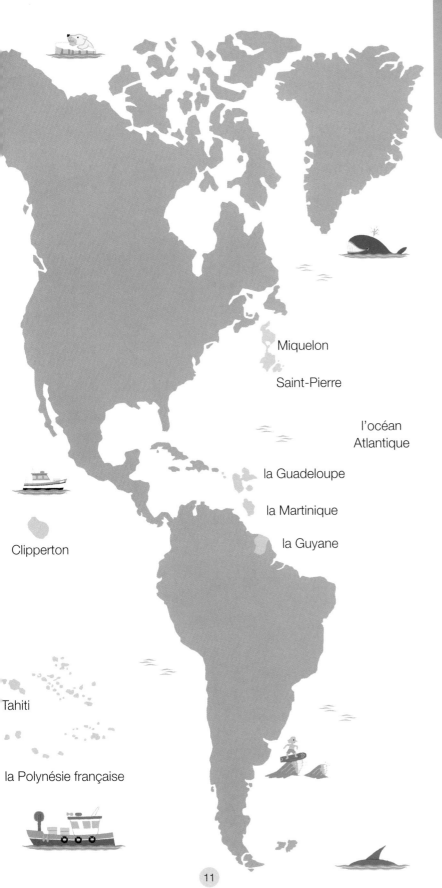

Miquelon

Saint-Pierre

l'océan
Atlantique

la Guadeloupe

la Martinique

la Guyane

Clipperton

Tahiti

la Polynésie française

Pourquoi
la France est-elle aux quatre coins du monde ?

Il y a longtemps, des marins ont quitté la France pour conquérir, souvent par la force, des terres et des îles très lointaines.

Leur but était de profiter des richesses de ces territoires, comme le sucre ou le café, et de les rapporter en France.

Certaines de ces parties du monde font toujours partie de la France aujourd'hui. On les appelle les DOM-TOM.

La France des DOM-TOM **46**
Les départements **83** 101

🐓 Les Français

Ce sont les gens liés à la France par leurs parents, leur histoire, le lieu où ils vivent...

Yacine Billon   Cheng Huang   Rose Richard   Fatia Benyoucif   Olivier Wiltord   Amélie Bouleftar   Léon Depaire

Yann Legallec   Antoine Babo   Carmen Presco   Juliette Derville   Noah Boutet   Lekha Rajini   Pierre Kasemoki

Arthur Petit   Élisa Walytov   Thomas Bruckner   Lola et Céline Lucas   Romain Durand   Célanie Couriol

✎ Le français

C'est la langue la plus parlée et la plus apprise en France. Elle est utilisée à l'école, à la télévision, sur les panneaux…

pa… pa!

escargot

apprendre à parler en français

Il était une fois…

parler en français à l'école

parler en français au travail

il vous plaît…

Au secours!

la langue française parlée dans d'autres pays

Dans la rue, le bus ou peut-être à la maison, tu peux entendre des gens discuter dans une autre langue que le français…

Une région est une petite partie de France. Certaines ont gardé, en plus du français, une langue que ses habitants parlaient avant.

KENAVO!
Au revoir!

D'autres parlent aussi la langue du pays où leurs parents ont vécu avant. Connais-tu des gens qui parlent arabe ou chinois?

Salam!

Nǐ hǎo!

Hello!

Le portefeuille des Français

Il y a des objets et des papiers qu'on ne trouve qu'en France.

les pièces d'euro françaises

les timbres

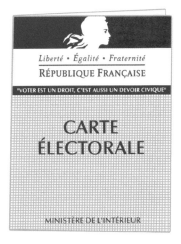

la carte d'électeur

le permis de conduire

la carte d'identité

le passeport

la carte Vitale

🎖 Les symboles français

Ces objets ou ces fêtes représentent notre pays.

les mots les plus importants du pays : la devise

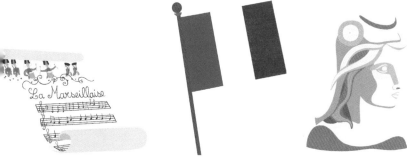

l'hymne national   le drapeau français   la Marianne

le défilé du 14 juillet

le feu d'artifice

célébrer la fête nationale

15

Regarde notre drapeau, il est tricolore, c'est-à-dire qu'il a trois couleurs : le bleu, le blanc et le rouge.

Il a fallu des siècles pour le choisir. Au cours de l'histoire, il a même été bleu, avec des fleurs de lys : la fleur des rois.

Chaque pays du monde possède son propre drapeau avec ses couleurs : est-ce que tu en connais ?

Une petite chronologie **84** 🔔

📘 Les droits et les devoirs

En France, on peut faire beaucoup
de choses si on respecte les autres
et si on a l'âge qu'il faut.

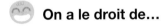 **On a le droit de...**

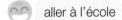 aller à l'école

 être protégé

être soigné si on est malade

 avoir la religion que l'on veut

 s'habiller comme on veut

 aimer qui on veut

choisir qui va diriger le pays

 dire ce que l'on pense

On n'a pas le droit de…

faire travailler les enfants

mettre en danger les autres

prendre ce qui n'est pas à soi

abîmer ce qui n'est pas à soi

faire du mal aux gens

tuer des gens même s'ils ont fait de très grosses bêtises

Pourquoi
y a-t-il des règles ?

Dans la vie, tu apprends des règles. Les grands les répètent souvent car elles sont là pour te protéger du danger.

En France, c'est la police qui fait respecter l'ordre. Les règles que tout le monde doit suivre sont connues et s'appellent les lois.

La plupart des règles sont faites pour nous aider à vivre ensemble, pour éviter les disputes. Connais-tu les règles de ton école ?

Le vote **18**
Les chefs de la France **20**

Le vote

Chaque adulte peut choisir régulièrement les «chefs du pays». C'est le droit de vote.

les candidats

les affiches pour se faire connaître des Français

le premier tour des élections

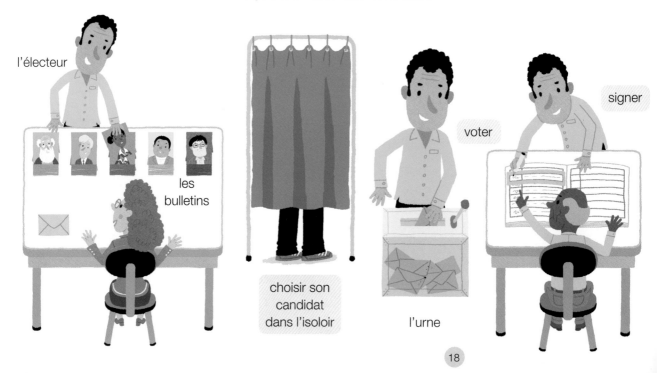

l'électeur

les bulletins

choisir son candidat dans l'isoloir

voter

l'urne

signer

les résultats du premier tour des élections

s deux candidats ayant le plus
e voix passent au second tour

le second tour des élections

les résultats du second tour des élections

être élu

As-tu entendu parler des élections ? En France, on peut voter à partir de 18 ans. Tu es donc trop jeune pour l'instant.

Pour voter, il faut connaître la situation et les besoins de son pays. On s'inscrit sur la liste des électeurs, dans sa ville.

Le jour des élections, on se rend au bureau de vote de son quartier. Ça peut même avoir lieu dans ton école !

Les chefs de la France

Voici les principales personnes
qui dirigent le pays.

Le président de la République
s'occupe de la France avec les ministres.

Le maire
s'occupe de la ville.

Le Premier ministre est
le chef des ministres.

Chaque ministre a son activité (l'école, les maladies, le travail, la guerre, la nature...).

Tu entends peut-être les adultes parler des hommes politiques français. Ils peuvent être d'accord avec eux, ou pas!

On a le droit de montrer que l'on n'est pas d'accord. On peut faire la grève en arrêtant de travailler ou en manifestant.

Les lois sont discutées et votées par un groupe de gens : les députés.

En France, on choisit un nouveau président tous les cinq ans. C'est un moment important pour le pays. Alors, on va voter!

Les lois sont suivies par tous les Français.

📷 Un pays touristique

La France est connue dans le monde entier.
Des millions de touristes, c'est-à-dire
des habitants d'autres pays, viennent
la visiter. Il y a tant à découvrir !

les monuments

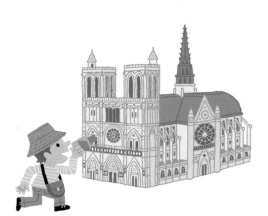

Notre-Dame de Paris

le Mont-Saint-Michel

la tour Eiffel

les musées

le musée du Louvre

le Centre Pompidou-Metz

le musée d'Orsay

les sites naturels

la forêt de Fontainebleau

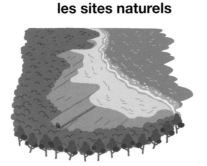

la dune du Pilat

les falaises d'Étretat

la gastronomie

le restaurant

le marché

les spectacles

le concert

le théâtre

les sports

le tournoi de Roland-Garros

le Tour de France

les Vingt-Quatre Heures du Mans

le Vendée Globe Challenge

C'est quoi, le patriotisme ?

Lorsque tu joues avec tes copains, es-tu content que ton équipe gagne? Bien sûr, puisque tu en fais partie! Alors, tu la défends.

C'est la même chose quand on vit dans un pays. On peut être fier de ses traditions, de ses sportifs, de ses paysages...

Mais chaque pays dans le monde a ses richesses. C'est pour ça que beaucoup de gens aiment voyager. As-tu déjà quitté la France?

Les symboles français **15**

Petits souvenirs de France **90**

Les savoir-faire

La France construit et fabrique des objets connus et vendus dans le monde entier.

le parfum

la haute couture

les crèmes et le maquillage

les voitures

la mode et les produits de beauté

les trains

les bateaux

l'aviation civile

l'aéronautique militaire

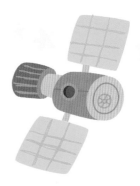

l'aérospatiale

les éoliennes

l'usine nucléaire

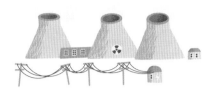

fabriquer de l'énergie

la construction de bâtiments

la téléphonie

les médicaments et les vaccins

la recherche médicale et les hôpitaux

Tes jouets
sont-ils fabriqués en France ?

Dans ta chambre, tu as des petites voitures, des poupées, des peluches... La plupart viennent de pays étrangers.

En Chine, la fabrication de jouets coûte moins cher. Ils sont faits en plus grande quantité et les travailleurs sont moins payés.

On sait aussi faire des jouets en France ou dans des pays voisins. Ils sont parfois un peu plus chers mais souvent plus solides.

Les cultures

La France compte beaucoup de pêcheurs
et d'agriculteurs. Ils produisent
de délicieuses choses à manger !

le poulet

le poulet à rôtir

les vaches à lait

le lait

la crème   le beurre   le yaourt   le fromage

le porc

le jambon

le canard

le foie gras

le bœuf

le steak

l'agneau

la côtelette

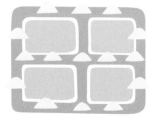
le marais salant

le sel

l'ostréiculture

l'huître

la pêche

les poissons

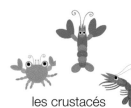
les crustacés

le champ de blé

la farine   les céréales

le pain

le champ de tournesols

l'huile

les graines
de tournesol

les vignobles

le raisin

le vin

le jus
de raisin

le verger et le potager

les fruits et les légumes

Tout ce
que l'on mange
vient-il de France

Aimes-tu les kiwis? Ceux que l'on mange peuvent venir d'Italie, par exemple, où il fait plus chaud et plus ensoleillé qu'en France.

Au supermarché, tu trouves en hiver des fruits qui ne poussent qu'en été en France. Ils viennent de très lointains pays.

Ces fruits font un long voyage. Ça pollue! Alors mieux vaut essayer de manger les fruits et légumes français de saison.

La gastronomie

La France est très connue pour sa cuisine.
Il y en a vraiment pour tous les goûts !

le foie gras des Landes

la piperade basque

la blanquette de veau

le pot-au-feu

la galette
bretonne

les sardines
de Douarnenez

les rillettes
du Mans

le cassoulet
de Castelnaudary

l'andouille de Val-d'Ajol

le sandwich parisien

le hachis parmentier

la choucroute alsacienne

le jambon de Bayonne

la quiche lorraine

le comté

le bœuf
bourguignon

les escargots
de Bourgogne

le camembert
normand

la fondue
savoyarde

les cuisses de grenouille
à la provençale

le petit salé
auvergnat

le figatellu
corse

la ratatouille

la salade niçoise

la bouillabaisse
marseillaise

Tu as forcément déjà goûté
de la pizza à la cantine ou à la
maison! Il existe des dizaines
de pizzas différentes.

les moules à la sétoise

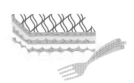

les huîtres d'Oléron

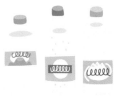

les profiteroles

Il y a longtemps, la pizza est
venue d'Italie. Aujourd'hui, on
la fait avec des aliments italiens
mais aussi français.

le clafoutis de cerises

le mille-feuille

les eaux minérales

La cuisine française puise dans
les ingrédients et recettes du
monde entier. Quel est ton plat
préféré? Sais-tu d'où il vient?

le champagne

le vin blanc
d'Alsace

le vin rouge
de Bordeaux

le rougail
réunionnais

les acras de morue
antillais

le poulet coco
guadeloupéen

Un pays touristique **22**

Les cultures **26**

Voyons voir...

Trouve d'où vient chacun de ces 5 aliments.

Reconnais-tu le drapeau français parmi tous ceux-là?
Sais-tu à quels pays appartiennent les autres drapeaux?

Que fait cette personne?
À ton avis, pourquoi
se cache-t-elle?

Qui est le candidat préféré
des Français?

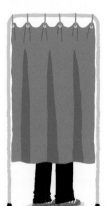

Regarde ces images. Que se passe-t-il sur chacune d'entre elles?
Qu'est-ce qui est interdit et puni par la loi?

Voici ce que l'on peut trouver dans le portefeuille d'un Français.
Si tu prends l'avion pour un autre pays, que faut-il montrer?
Es-tu déjà allé dans un pays étranger? Te souviens-tu de son nom?
Quelle langue y parlait-on?

Un petit tour de France

Le nord de la France

la Manche

les falaises d'Étretat

Le Havre

D

la tapisserie
de Bayeux

le Mont-
Saint-Michel

Perros-Guirec

Saint-Malo

le mémorial
de Caen

Ve

Brest

les monts d'Arrée

Rennes

Laval

Quimper

le circuit du Mans

Lorient

les châteaux d

Guérande

Angers

l'océan Atlantique

Belle-Île

le Puy-du-Fou

le pont de Saint-Nazaire

Nantes

La Roche-sur-Yon

le Marais
poitevin

le Futuroscope

la mer du Nord

Calais

la Belgique

le beffroi de Lille

...sicaa

Naours

le Luxembourg

Amiens

saint Nicolas

Metz

Strasbourg

la cathédrale
de Reims

...uen

Compiègne

le vignoble de
Champagne

Nancy

...aris

Melun

Châlons-en-Champagne

les Vosges

Orléans

Troyes

Épinal

le château
de Guédelon

Auxerre

Vesoul

Besançon

Mulhouse

le château
de Sully

Dijon

...es birettes de Bué

le Jura

la Suisse

le massif
du Morvan

Bourges

Le Nord-Ouest

Ici, on trouve de jolies plages, de grands châteaux et de beaux ports de pêche...

les musiciens de Lorient

le parc du Puy-du-Fou

les cerfs-volants de Dieppe

le ZooParc de Beauval

le mémorial de Caen

les remparts de Guérande

les alignements
de menhirs de Carnac

la vieille ville
de Saint-Malo

la tapisserie
de Bayeux

le château de Chambord

les marais salants de Noirmoutier

le port de Honfleur

les roches de granit rose de Perros-Guirec

C'est quoi, une falaise ?

Le long de la côte, tu peux voir de hautes falaises. Comme elles sont au bord de l'océan, il y a souvent de belles et grandes vagues.

Les vagues se jettent contre ces falaises. Avec le temps, elles usent la roche et elles lui donnent de drôles de formes.

C'est pour ça qu'aujourd'hui tu peux voir des falaises étonnantes, comme à Étretat. Devine à quel animal cette falaise ressemble !

Les cultures 26
Des villes du Nord 60

Le Nord-Est

Dans cette partie de la France, on fait du champagne, on peut aussi voir des cigognes et même skier...

la baie
de Somme

la randonnée en raquettes
dans les Vosges

la ville souterraine
de Naours

les hortillonnages
d'Amiens

la ferme aux pieds nus
en Lorraine

la montagne des singes
en Alsace

l'aquarium Nausicaa
dans le Nord-Pas-de-Calais

le vin
d'Alsace

le château
de Sully

le château fort en construction de Guédelon

le château du Haut-Kœnigsbourg

la plage de Berck et ses chars à voile

la station de La Bresse et sa luge d'été

C'est quoi, une frontière ?

La France est séparée des pays voisins par une frontière. C'est une ligne imaginaire qui suit parfois les fleuves, les montagnes.

Elle apparaît sur les cartes, mais pas sur le vrai sol. C'est juste pour savoir où le pays se termine et où l'autre commence.

Quand on va dans un autre pays en avion, il faut montrer sa carte d'identité ou son passeport. Ils désignent le pays d'où l'on vient.

Un pays 8
Les reliefs 80

Le Sud

le Marais poitevin

le Futuroscope

le fort Boyard

Poitiers

La Rochelle

la por
de Lir

l'Île d'Oléron

le Festival
d'Angoulême

BD

Lascaux

Les Eyzies

Bordeaux

Sarlat

Rocamadour

l'océan
Atlantique

la dune du Pilat

les causses
du Quercy

la pelote basque

Agen

Bayonne

l'usine d'avions

Pau

Toulouse

l'Espagne

le cirque
de Gavarnie

Bourges

Clermont-Ferrand

Lyon

la Suisse

les Alpes

Annecy

le mont
Blanc

les volcans d'Auvergne

le Massif central

Le Puy

le palais du
Facteur Cheval

Grenoble

l'Italie

le parc
du Gévaudan

Rodez

Nîmes

Grasse

Albi

le viaduc
de Millau

Avignon

Aix-en-
Provence

Nice

Montpellier

la Camargue

Arles

Toulon

Cannes

la Cité de Carcassonne

Marseille

Sète

Bastia

les joutes sétoises

les parcs à huîtres

la Corse

Perpignan

la mer
Méditerranée

Ajaccio

Pyrénées

les falaises
de Bonifacio

41

Le Sud-Est

Des montagnes enneigées, des volcans,
la mer... que de paysages différents !

le pont d'Avignon

la feria d'Arles

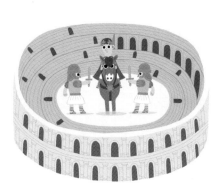

les arènes de Nîmes

la ferme aux crocodiles
de Pierrelatte

le parc à huîtres
de l'étang de Thau

le village des automates
dans les Bouches-du-Rhône

le palais
du facteur Cheval

les lumières
du 8 décembre à Lyon

les montagnes des Alpes

les volcans d'Auvergne

le parc du Luberon

les falaises de Bonifacio

C'est quoi,
l'île de Beauté
?

C'est comme ça qu'on appelle la Corse. C'est une grande île dans le sud de la France, qui ressemble à une main qui lève le doigt.

C'est un très bel endroit. Les habitants y parlent français bien sûr, mais certains parlent aussi la langue corse.

Là-bas, on voit cette tête dessinée sur les affiches, les emballages... C'est le drapeau corse! Sais-tu si ta région a un drapeau?

Marseille 56
Lyon 58

Le Sud-Ouest

Ces belles régions sont entourées d'une mer, d'un océan et de montagnes.

le Futuroscope de Poitiers

les Causses du Quercy

la pelote basque à Bayonne

le Marais poitevin

la cathédrale
Sainte-Cécile à Albi

le cirque de Gavarnie

la cité médiévale de
Sarlat-la-Canéda

les falaises préhistoriques
des Eyzies-de-Tayac-Sireuil

la cité des insectes
de Nedde

le viaduc de Millau

le rocher des aigles à Rocamadour

Fort Boyard

la feria de Bayonne

L'océan peut être dangereux : grandes vagues, marées, vent. Sur les plages du Sud-Ouest, la baignade est parfois déconseillée.

Il existe des courants dans l'eau qui emportent les baigneurs : les baïnes. Ils sont dangereux car on ne les voit pas.

Sur les plages surveillées, un drapeau annonce l'état de la mer. Vert : à l'eau ! ; orange : attention ! ; rouge : interdit !

Le sud de la France **40**

Des villes du Sud **62**

❀ La France des DOM-TOM

Ces régions françaises sont éparpillées dans le monde... Ce sont surtout des îles.

la Guadeloupe

la culture de bananes

la canne à sucre

la Martiniqu[e]

Saint-Barthélemy

Saint-Martin

la vanille

la Soufrière

la Guyane

la fusée *Ariane*

la baleine à bosse

Saint-Pierre-et-Miquelon

le carnaval de Kourou

le centre spatial

La Réunion

Mayotte

le volcan Dziani Dzaha

le piton de la Fournaise

Tahiti

le requin

le cocotier

les fleurs de frangipanier

Wallis-et-Futuna

la Nouvelle-Calédonie

l'île des Pins

Clipperton

le plongeur

banquise

la terre Adélie

les îles Kerguelen

l'otarie

le manchot

la base scientifique

C'est quoi, les langues créoles ?

Il y a longtemps, dans certains DOM-TOM, les habitants parlaient une langue différente du français pour discuter entre eux.

Bonjou!

Encore aujourd'hui, les habitants des îles parlent différentes langues qu'on appelle les langues créoles.

Mèsi!

Ô rèvoi!

Ces langues sont parfois proches du français. Joyeux Noël se dit *Jénwèl* et maman se dit *manman* en créole martiniquais.

Voyons voir...

Regarde chacune de ces images. Que font les personnages ?

À ton avis, les activités suivantes se font-elles à la mer ou à la montagne ?

Regarde ces monuments. Lesquels sont des ponts? Lesquels sont anciens?
Peux-tu montrer la cathédrale? Et le château?

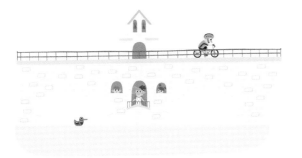

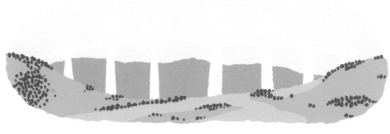

Voici la carte de la France :
la métropole et les DOM-TOM.
Sais-tu montrer où tu habites?
Où es-tu déjà allé en vacances?

Des grandes villes

Paris

Paris est la capitale de la France.
C'est aussi la plus grande ville.

le Sacré-Cœur

la Grande Arche
de la Défense

la gare
Saint-Lazare

l'Opé
Garni

le parc Monceau

le palais de l'Élysée

la place de la Concorde

le bois de Boulogne

l'Arc
de Triomphe

les Champs-
Élysées

le jardin
des Tuileries

le Louvre

Notre-Dame de Pa

la tour
Eiffel

les Invalides

la tour
Montparnasse

le Trocadéro

le Sénat

Roland-
Garros

le Champ de Mars

la Seine

le métro aérien

la gare
Montparnasse

le jardin du Luxembourg

le périphérique
embouteillé

le parc Montsouris

52

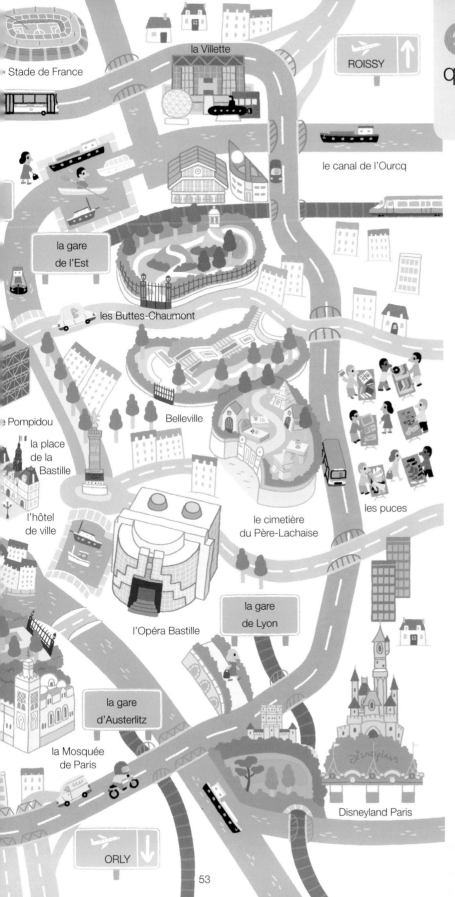

Stade de France

la Villette

ROISSY ↑

le canal de l'Ourcq

la gare de l'Est

les Buttes-Chaumont

le Pompidou

Belleville

la place de la Bastille

l'hôtel de ville

le cimetière du Père-Lachaise

les puces

l'Opéra Bastille

la gare de Lyon

la gare d'Austerlitz

la Mosquée de Paris

Disneyland Paris

ORLY ↓

53

Qu'est-ce que la capitale ?

Paris est la grande ville où le président de la République et ses ministres habitent et travaillent. On y décide des lois.

Comme dans d'autres villes, il y a des immeubles, des gares, des écoles... Paris compte aussi de nombreux monuments.

Paris est très grande! Pour mieux s'y repérer, elle a été découpée en vingt morceaux, appelés des arrondissements.

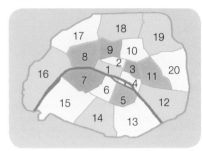

Le vote 18
Les villes 81

⏱ Vivre à Paris

Ici, on se déplace souvent en métro
et il y a beaucoup d'embouteillages.
Mais que de belles choses à découvrir !

le ballet
à l'Opéra Garnier

les vitrines des grands
magasins à Noël

la Géode et la Cité des sciences
de la Villette

le Centre
Pompidou

Paris Plages, sur le bord
du canal de l'Ourcq

le jardin
du Luxembourg

la foule et les embouteillages

la brasserie

le métro

le marché

Comment
était Paris avant
?

À l'époque des Gaulois, avant
que la France existe, Paris
s'appelait Lutèce. Les habitants,
étaient peu nombreux.

Pendant longtemps, il y a eu des
champs à côté de Paris, là où
aujourd'hui des gens habitent.
La ville a grossi peu à peu.

Aujourd'hui, la ville est tellement
peuplée que les gens doivent
s'installer autour. Ça crée
d'autres villes à côté de Paris...

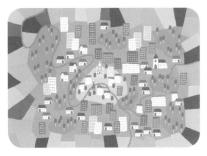

Un pays touristique 22
Une petite chronologie 84

Marseille

Deuxième ville de France, elle a un grand port et est entourée de jolis paysages.

l'Estaque

la cathédrale de la Major

le savon de Marseille

le port industriel

le Vieux-Port

la Canebière

le château d'If

le four à navettes

les îles du Frioul

le vallon des Auffes

Notre-Dame-de-la-Garde

le parc Borély

la Cité radi

les chichis fregi

la Campagne Pastré

la mer Méditerranée

Allauch

le zoo

Aubagne

ade Vélodrome

l'Olympique de Marseille

migny

la
calanque

Cassis

D'où
viennent
les accents
?

Tu as peut-être déjà rencontré des gens qui ne prononcent pas les mots tout à fait comme toi. On dit qu'ils ont un accent.

La France s'est développée peu à peu, en regroupant des régions. Dans chacune, on parlait une langue différente.

Avec le temps, les Bretons, les Picards… se sont tous mis à parler français, mais avec leur propre accent! Et toi, en as-tu un aussi?

Le français 13
Le Sud-Est 42

Lyon

Troisième ville de France, Lyon est traversée par deux fleuves, le Rhône et la Saône.

la Croix-Rousse

la basilique Notre-Dame-de-Fourvière

les traboules du vieux Lyon

le Théâtre gallo-romain

BOUCHON

le bouchon lyonnais

la cathédrale Saint-Jean

la Maison de Guignol

le funiculaire

la place Bellecour

la gare Lyon-Perrache

la Halle Tony Garnier

la Saône

le Rhône

l'aquarium

le skatepark

le parc
de la Tête d'Or

l'aéroport Lyon-
Saint-Exupéry

la fête des Lumières

l'Institut Lumière

l'Olympique
lyonnais

OLYMPIQUE
LYONNAIS
OL

la Maison de la Danse

le stade de Gerland

59

Lyon
existait déjà au temps des Gaulois

?

Il y a longtemps, Lyon s'appelait *Lugdunum*. Elle était la très riche capitale des Gaulois, qui ont bâti son port sur le Rhône.

Ses habitants ont construit des voies pour se déplacer plus facilement et pour vendre tout ce qu'ils fabriquaient.

C'est pour cela que Lyon est aujourd'hui une grande ville, même si elle n'est plus une capitale. Regarde son symbole !

Le sud de la France **40**

Un village gaulois **68**

Des villes du Nord

Ces villes sont souvent connues
pour leurs fêtes, leurs animations...

à Nantes, il y a

le château des ducs de Bretagne

l'éléphant géant
de Royal de Luxe

les anciennes usines
des biscuits P'tits LU

à Strasbourg, il y a

les canaux

le grand marché de Noël

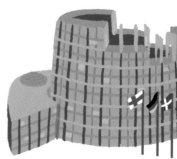

le Parlement européen

à Lille, il y a

la Grand'Place

la grande braderie

le beffroi de l'hôtel de ville

à Rennes, il y a

les maisons à colombages

le parlement de Bretagne

au Havre, il y a

le grand port

l'église Saint-Joseph

à Reims, il y a

le Cirque

la cathédrale de Reims

Est-ce que
les maisons sont partout pareilles
?

À la télévision ou quand tu voyages en France, as-tu remarqué que les maisons sont parfois différentes de celles que tu connais?

On a longtemps construit les murs et les toits des maisons et des immeubles avec les pierres que l'on trouvait dans la région.

À Lille, par exemple, beaucoup de maisons sont en briques rouges. Et toi sais-tu comment est ton immeuble ou ta maison?

🍦 Des villes du Sud

Ces villes sont autant appréciées pour leurs monuments que pour leurs superbes paysages alentour.

à Toulouse, il y a

le Pont-Neuf

le stade de rugby

le Capitole

à Nice, il y a

la Promenade des Anglais

les chars de fleurs

le carnaval

à Montpellier, il y a

le zoo de Lunaret

la place du Nombre-d'Or

la place de la Comédie

à Bordeaux, il y a

le Grand Théâtre

la place de la Bourse et le miroir d'eau

à Toulon, il y a

le théâtre

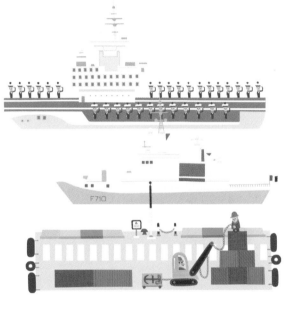

le port militaire

à Grenoble, il y a

l'escalade

la place Grenette

les quais de l'Isère

Pourquoi
vit-on en ville
?

En ville, tu vois des voitures, des bus, des magasins, des écoles, des musées, du monde, des publicités, des cinémas, des boulevards...

Beaucoup de gens vivent en ville car on y trouve plus de travail. Et tout le monde en a besoin pour gagner de l'argent !

À la campagne, il y a moins de magasins, de cinémas... Mais les maisons sont plus grandes et on est plus proche de la nature.

Voyons voir...

Sur cette carte, à quelle couleur correspond la France du Sud? Et la France du Nord?

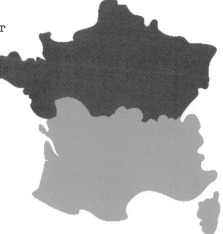

Sais-tu comment s'appelle un habitant de Lyon?

Et un habitant de Marseille?

Et un habitant de Paris?

Regarde ces images de Paris, Lyon et Toulouse. Qu'ont-elles en commun?

Regarde ces trois images. Essaie de trouver laquelle se situe à Paris,
laquelle se situe à Marseille et laquelle se situe à Lyon.

Que se passe-t-il dans ces images ? Que font les personnages ?

 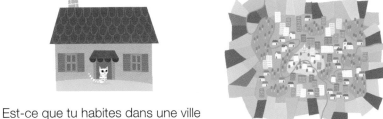

Est-ce que tu habites dans une ville
ou dans un village ? Connais-tu son nom ?
Essaie de décrire où tu habites : est-ce qu'il y a des parcs, de grands immeubles,
beaucoup de voitures, est-ce qu'il y pleut souvent ?

L'histoire de France

🪖 Un village gaulois

Avant, notre pays s'appelait la Gaule.
Il était plus petit et habité
par les Gaulois.

la vache

le b

le champ cultivé

le cheval

le pré

l'étable

le grenier à provisions

le barde

la volaille

les porcs

l'enclos

les outils

le chien

les pièces d'or

l'orfèvre

l'amphore

la jarre

la peau de bête

le rempart de l'oppidum

68

la maison en bois

le druide

le chef du village

le forgeron

le toit en chaume

les armes

le guerrier

chaudron

Qui était
Vercingétorix

Les héros de bande dessinée Astérix et Obélix n'ont pas vraiment existé. Vercingétorix, lui, était un vrai chef gaulois.

À l'époque, la Gaule était envahie par les Romains et leur chef, Jules César. Vercingétorix a essayé de les battre !

Mais il a été emprisonné puis tué par les Romains. Ce personnage est resté très célèbre car il a été un grand guerrier courageux.

Un château fort

Aux temps des chevaliers, les seigneurs construisaient de grands châteaux.

le donjon

la chambre du seigneur

la dame

le seig

ranger les habits dans le coffre à linge

se réchauffer pr de la cheminée

la grande salle

les cuisines

le cellier

faire le guet

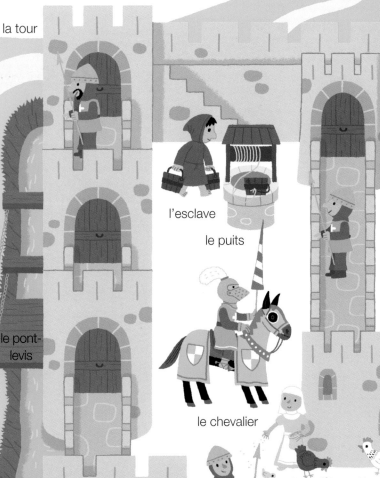

la tour

le pont-levis

l'esclave

le puits

le chevalier

la basse-cour

le chemin de ronde

les latrines

les écuries

jouer aux échecs

les terres du seigneur

le paysan

a chapelle

le moine

le serf

le marchand

...san

les cachots
ou les oubliettes

C'est quoi, le Moyen Âge ?

Cela n'a rien à voir avec ton âge ! Le Moyen Âge, c'est le nom qu'on donne à une longue période dans l'histoire de notre pays.

Cette époque a duré environ mille ans. Plusieurs rois ont alors dirigé le pays, comme Clovis, Dagobert, Charlemagne...

On construisait des châteaux forts, des villes fortifiées pour se protéger... Et imagine : l'électricité n'existait même pas !

71

Une petite chronologie **84**
Des personnalités **86**

La cour du roi Louis XIV

Le Roi-Soleil a fait construire un immense palais :
le château de Versailles.

les grands appartements

la galerie des Glace

les jardins à la française

la calèche

le courtisan

la pièce d'eau

le médecin

le bal costumé

72

le feu d'artifice

la chasse
à courre

le cabinet du roi

le secrétaire
du roi

la pièce de théâtre

e défilé
equestre

le serviteur

la femme du roi

le roi

le noble

les ministres du roi

C'est quoi,
une révolution
?

Tu as peut-être entendu parler de la Révolution française. Le feu d'artifice du 14 juillet célèbre son anniversaire...

Une révolution a lieu quand les règles d'un pays changent tout à coup, car les habitants le demandent avec force.

Le roi Louis XVI et sa famille ont été tués car le peuple français était très en colère. Il demandait plus d'égalité et de liberté.

Le nord de la France **34**

Une petite chronologie **84**

La Première Guerre mondiale

Il y a moins de 100 ans, une grande guerre contre l'Allemagne a eu lieu en France.

le téléphone

la carte   l'officier

la gamelle

faire le guet

le boyau

la tranchée française

l'infirmière

le brancard

soigner un soldat blessé

la photo de sa famille

observer l'ennemi au périscope

le tank

la mitrailleuse

l'obus

la tranchée
allemande

la baïonnette

le no man's land

la gourde

le soldat
français

le
télégramme

la ligne de front

la mine

le soldat
allemand

Des personnes âgées ont connu
la Seconde Guerre mondiale.
C'est la dernière guerre qui
a eu lieu sur notre sol.

Mais il y a encore des guerres
dans de nombreux pays du
monde. La France y participe
parfois en envoyant des soldats.

Le plus souvent, leur but est
d'essayer de faire revenir
l'ordre, d'aider les gens,
de reconstruire les bâtiments...

Les chefs de la France **20**

Une petite chronologie **84**

La France moderne

Depuis le temps de tes grands-parents,
beaucoup d'objets ont changé
ou sont apparus.

quand tes grands-parents étaient petits...

quand tes parents étaient petits...

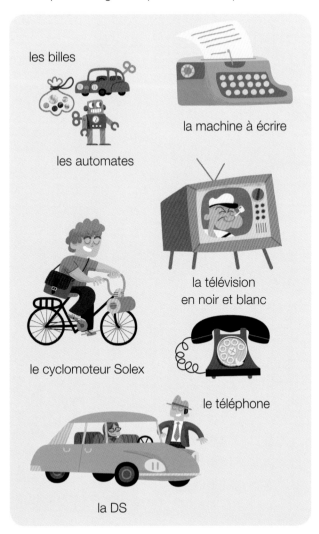

les billes

les automates

la machine à écrire

le cyclomoteur Solex

la télévision
en noir et blanc

le téléphone

la DS

les jeux
électroniques

le Minitel

la télévision
en couleurs

la Mobylette

le téléphone
sans fil

l'Espace

aujourd'hui, dans ta vie…

la console

les jouets robots

Internet

le scooter à trois roues

la télévision
à écran plat

la voiture électrique

le téléphone
portable

Tu connais le téléphone portable. Mais quand tes parents étaient petits, tous les téléphones étaient branchés avec un fil.

Branché à une prise au mur, le fil faisait passer le réseau téléphonique, qui permettait de se parler et de s'entendre.

Aujourd'hui, les téléphones portables utilisent des ondes qui sont dans l'air. Plus besoin de fil, c'est pratique !

Les savoir-faire **24**

Petits souvenirs de France **90**

Peux-tu essayer de classer ces personnages
du plus ancien au plus récent?

Que se passe-t-il dans cette image? Qui se bat contre qui?

Qu'ont en commun ces objets? Regarde aussi leurs différences.
Lesquels sont encore utilisés aujourd'hui?

Sur cette image d'un château fort, retrouve le puits,
le moulin, la chambre du seigneur, la salle à manger,
les cuisines et les terres du seigneur.

Regarde chaque colonne. À quoi servent ces objets ?
Pourquoi sont-ils classés comme ça ?

Les reliefs

la mer
du Nord

l'Allemagne

la Belgique

le Luxembourg

la Manche

la Seine

LES VOSGES

le Rhin

la Loire

LE JURA

la Saône

la Suis

la Charente

LES ALPES

l'océan
Atlantique

LE
MASSIF
CENTRAL

l'

la Dordogne

le Rhône

la Garonne

LES PYRÉNÉES

la mer
Méditerranée

l'Espagne

Les villes

Lille
Arras
Amiens
Le Havre
Rouen
Laon
Charleville-Mézières
Saint-Lô   Caen   Évreux   Cergy   Beauvais
Reims
Metz
Saint-Denis
Argenteuil   Nanterre   Paris   Bobigny
Châlons-en-Champagne
Nancy
Strasbourg
Boulogne-Billancourt   Montreuil
Bar-le-Duc
Brest
Créteil
Versailles   Évry
Saint-Brieuc
Alençon   Chartres   Melun   Troyes
Colmar
Quimper   Rennes
Chaumont   Épinal
Vannes   Laval   Le Mans   Orléans
Mulhouse
Auxerre   Vesoul   Belfort
Dijon   Besançon
Nantes   Angers   Tours   Blois
Bourges   Nevers
La Roche-sur-Yon
Lons-le-Saunier
Poitiers   Châteauroux   Moulins
Niort   Mâcon
Bourg-en-Bresse
La Rochelle   Guéret
Lyon   Anneçy
Angoulême   Limoges   Villeurbanne
Clermont-Ferrand   Chambéry
Périgueux   Tulle   Saint-Étienne
Grenoble
Bordeaux   Le Puy-en-Velay   Valence
Aurillac   Privas   Gap
Cahors   Mende   Digne-les-Bains
Agen   Rodez
Montauban   Avignon   Nice
Mont-de-Marsan   Auch   Albi   Montpellier   Nîmes   Aix-en-Provence
Toulouse   Marseille   Bastia
Pau   Carcassonne   Toulon
Tarbes
Foix   Perpignan
Ajaccio

Les préfectures et les villes métropolitaines de plus de 100 000 habitants ont été placées sur cette carte.

Les régions

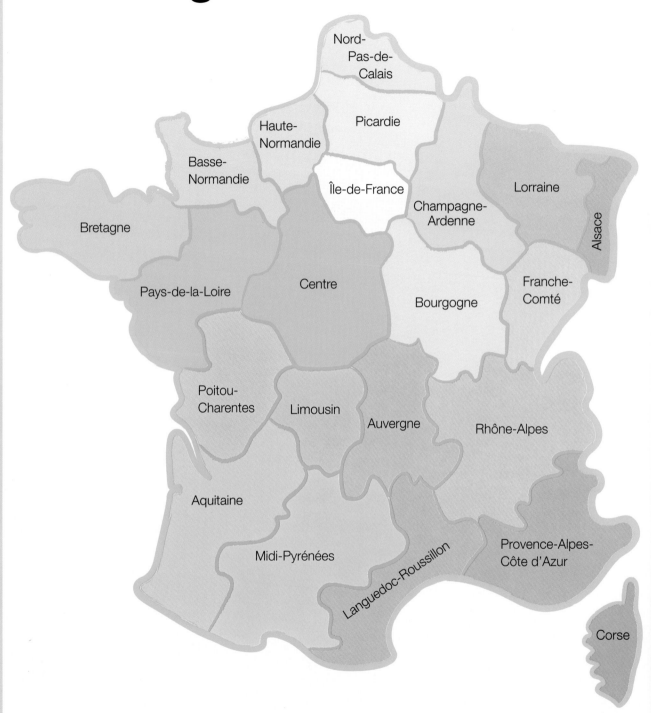

Les départements

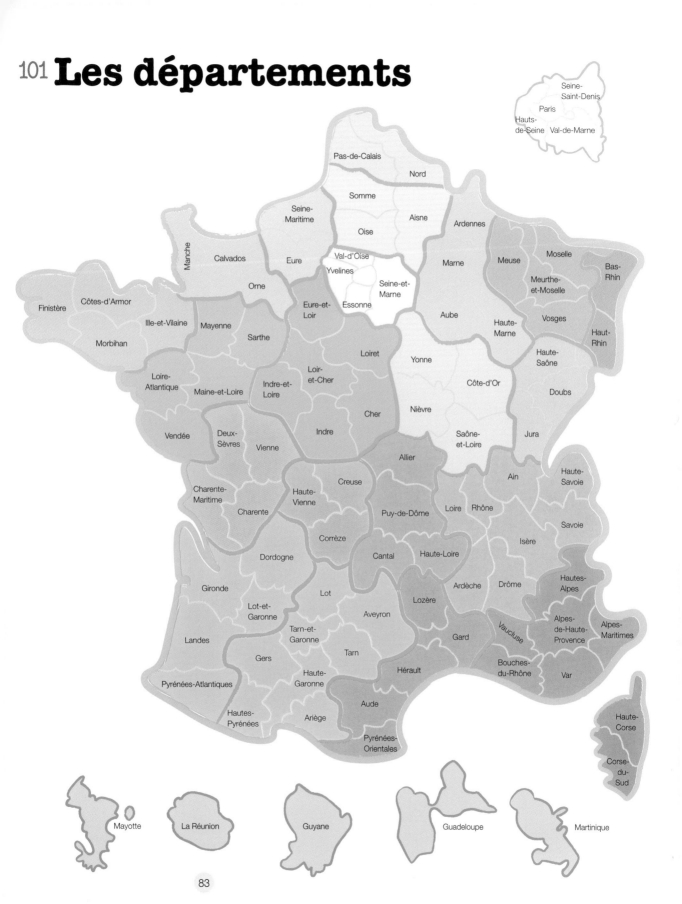

Seine-Saint-Denis
Paris
Hauts-de-Seine
Val-de-Marne

Pas-de-Calais
Nord
Somme
Seine-Maritime
Aisne
Ardennes
Oise
Manche
Calvados
Eure
Val-d'Oise
Marne
Meuse
Moselle
Bas-Rhin
Yvelines
Meurthe-et-Moselle
Orne
Seine-et-Marne
Essonne
Aube
Haute-Marne
Vosges
Haut-Rhin
Finistère
Côtes-d'Armor
Eure-et-Loir
Ille-et-Vilaine
Mayenne
Haute-Saône
Morbihan
Sarthe
Loiret
Yonne
Côte-d'Or
Doubs
Loire-Atlantique
Maine-et-Loire
Indre-et-Loire
Loir-et-Cher
Nièvre
Cher
Saône-et-Loire
Jura
Vendée
Deux-Sèvres
Indre
Vienne
Allier
Ain
Haute-Savoie
Charente-Maritime
Haute-Vienne
Creuse
Loire
Rhône
Charente
Puy-de-Dôme
Isère
Savoie
Corrèze
Dordogne
Cantal
Haute-Loire
Gironde
Lot
Ardèche
Drôme
Hautes-Alpes
Lot-et-Garonne
Aveyron
Lozère
Alpes-Maritimes
Landes
Tarn-et-Garonne
Vaucluse
Alpes-de-Haute-Provence
Gers
Tarn
Gard
Bouches-du-Rhône
Var
Pyrénées-Atlantiques
Haute-Garonne
Hérault
Hautes-Pyrénées
Ariège
Aude
Haute-Corse
Pyrénées-Orientales
Corse-du-Sud

Mayotte
La Réunion
Guyane
Guadeloupe
Martinique

Une petite chronologie

l'homme préhistorique

le menhir

le Gaulois

Clovis baptisé

Charlemagr
empereur

la mort
de Louis XVI
et Marie-Antoinette

la Déclaration des droits
de l'homme et du citoyen

la prise de la Bastille

la montgolfiè
traverse la M

Napoléon

le train
à vapeur

la colonisation

la Première
Guerre mondiale

l'entre-
guer

le Viking

les guerres des croisades

le château fort

la cathédrale en construction

le soldat de la guerre de Cent Ans

l'artiste de la Renaissance

Louis XIV

le philosophe

l'indépendance des colonies

le droit de vote des femmes

la Seconde Guerre mondiale

les premiers congés payés

les révoltes de mai 1968

il est interdit d'interdire !!!

l'apparition de la monnaie euro

Des personnalités

Vercingétorix

Charlemagne

Jeanne d'Arc

Jacques Cartier

Jean de La Fontaine

Molière

Louis XIV

Joseph Cugnot

Marie-Antoinette et Louis XVI

Nicéphore Niépce

Napoléon Bonaparte

Eugène Delacroix

Victor Hugo

Hector Berlioz

Louis Pasteur

Claude Monet

Auguste Rodin

Auguste et Louis Lumière

Coco Chanel

Antoine de Saint-Exupéry

Marie et Pierre Curie

Simone de Beauvoir
et Jean-Paul Sartre

Albert Camus

Édith Piaf

Des tableaux à voir

L'Adoration des mages,
Rubens - Musée des Beaux Arts,

Le Radeau de la Méduse,
Géricault - Musée du Louvre, Paris

La Joconde,
de Vinci -
Musée du Louvre, Paris

Le Printemps,
Arcimboldo -
Musée du Louvre, Paris

Des Glaneuses, Millet -
Musée d'Orsay, Paris

*Répétition d'un ballet
sur la scène,* Degas -
Musée d'Orsay, Paris

Danse à la campag
Renoir -
Musée d'Orsay, Paris

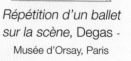

Olympia, Manet - Musée d'Orsay, Paris

La Chambre à Arles,
Van Gogh - Musée d'Orsay, Paris

Femmes de Tahiti,
Gauguin - Musée d'Orsay, Paris

Pommes et oranges, Cézanne -
Musée d'Orsay, Paris

Impression V, Kandinsky -
Centre Pompidou, Paris

Autoportrait en vert,
Chagall -
Centre Pompidou, Paris

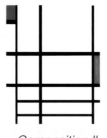

Composition II,
Mondrian -
Centre Pompidou, Paris

Les Nymphéas, Monet -
Musée de l'Orangerie, Paris

Hallucination partielle,
Dali - Centre Pompidou, Paris

Minotaure, Picasso -
Centre Pompidou, Paris

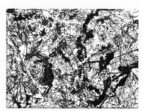

*Argent sur noir, blanc,
jaune et rouge*, Pollock -
Centre Pompidou, Paris

Nu bleu II,
Matisse -
Centre Pompidou,
Paris

Monochrome bleu, Klein -
Centre Pompidou, Paris

Polyptique C, Soulages -
Centre Pompidou, Paris

Petits souvenirs de France

la carte postale
pittoresque

le magnet
de La Joconde

la tour Eiffel
miniature

la boule de neige
Sacré-Cœur

le parapluie
plan du métro

le tee-shirt

le panneau d'une
rue parisienne

le tablier
provençal

l'assiette
décorative
bretonne

le coquillage
de la Guadeloupe

l'ancienne
publicité

le maillot de l'équipe
de France de football

le jouet en bois
du Jura

les bonbons
à la violette
de Toulouse

les calissons
d'Aix

les navettes
de Marseille

les macarons

les P'tits LU
nantais

la bouteille de vin
de Bordeaux

le plateau
de fromages

les bonbons
de Vichy

le petit déjeuner

la charcuterie
basque

l'huile
d'olive

la bouteille
de champagne

les conserves
du Sud-Ouest

le savon de Marseille

la bouteille de parfum

le sac à main

le beau foulard

Ab L'index

A

accent 57
acras de morue 29
adulte 18
aéronautique 24
aéroport 59
aérospatiale 24
affiche 18
âge 16
agneau 26
agriculteur 26
aimer 16
Aix-en-Provence 41
Albi 40, 44
aliment 30
Allauch 57
Allemagne 8, 35, 74, 80
Alpes 35, 41, 43, 80
Alsace 29, 38
Amiens 34, 38
amphore 68
ancien 78
andouille 28
Angoulême 40
aquarium 35, 38, 58
arabe 13
Arc de Triomphe 52
arène 41, 42
Arles 41, 42
arme 69
arrondissement 53
artisan 71
artiste 85
assiette 90
Aubagne 57
automate 42, 76
Auvergne 41, 43
aviation civile 24
Avignon 41, 42

B

baie de Somme 38
baïne 45
baïonnette 75
bal costumé 72
baleine à bosse 46
ballet 54
banane 46
banquise 47
barde 68
base scientifique 47
basilique 58
basse-cour 70

Bastille 53, 84
bateau 24
Bayeux 34, 36
Bayonne 28, 40, 44
Beauval 36
de Beauvoir 87
beffroi 35, 60
Belgique 8, 35, 80
Belleville 53
Berck 39
Berlioz 87
beurre 26
bille 76
biscuits 60, 91
blanquette de veau 28
blé 27
bœuf 26, 68
bœuf bourguignon 28
bois de Boulogne 52
bonbon 91
Bonifacio 41, 43
Bordeaux 29, 63, 91
bouchon lyonnais 58
bouillabaisse 29
Bourges 35, 40
Bourgogne 28
boyau 74
braderie 60
brancard 74
brasserie 55
brique 61
bulletin 18
bureau de vote 19
Buttes-Chaumont 53

C

cabinet 73
cachot 71
Caen 34, 36
calanque 57
calèche 72
calisson d'Aix 91
camembert 28
campagne 63
Campagne Pastré 56
Camus 87
canal 53, 54, 60
canard 26
candidat 18, 30
Canebière 56
canne à sucre 46
capitale 52, 59
Capitole 62
Carcassonne 41
Carnac 36

carnaval 46, 62
carte 39, 49, 64, 74, 81
carte d'électeur 14
carte d'identité 14, 39
carte postale 90
carte Vitale 14
Cartier 86
Cassis 57
cassoulet 28
Castelnaudary 28
cathédrale 35, 44, 49, 56, 58, 61, 85
Causses du Quercy 40, 44
cellier 70
Centre Pompidou 22, 53, 54, 89
centre spatial 46
céréales 27
cerfs-volants 36
César 69
Cézanne 89
Chambord 37
chambre 70, 79
champ 27, 68
champagne 29, 35, 91
Champs-Élysées 52
Champ de Mars 52
Chanel 87
chapelle 71
char à voile 39
charcuterie 91
char de fleurs 62
Charente 80
Charlemagne 71, 84, 86
chasse à courre 73
château 34, 37, 38, 49, 56, 60, 72
château fort 35, 70, 79, 85
chaudron 69
chef du village 69
chemin de ronde 70
cheminée 70
cheval 68
chevalier 70
chichi 56
chien 68
chinois 13
choisir 16, 18
choucroute 28
chronologie 84
cimetière 53
cirque de Gavarnie 40, 44

cité médiévale 44
Cité radieuse 56
clafoutis 29
Clermont-Ferrand 41
Clipperton 11, 47
Clovis 71, 84
cocotier 47
coffre à linge 70
colombages 61
colonie 85
colonisation 84
comté 28
concert 23
confiserie 35
congés payés 85
conserve 91
console 77
construction 25, 85
coquillage 90
Corse 41, 43
côtelette 26
courtisan 72
crème 24, 26
créole 47
croisades 85
Croix-Rousse 58
crustacé 26
Cugnot 86
cuisine 28, 70, 79
culture 26, 46
Curie 87

D

Dagobert 71
dame 70
danger 17
Déclaration des droits de l'homme et du citoyen 84
défilé 15, 73
Degas 88
Delacroix 87
département 83
député 21
devise 15
devoir 16
Dieppe 36
Dijon 35
Disneyland Paris 53
DOM-TOM 11, 46, 49
donjon 70
Dordogne 80
Douarnenez 28
drapeau 15, 30, 43, 45

droit 16, 18, 85
druide 69
dune du Pilat 22, 40

E

eau 29
école 13, 16, 20
écran 77
écurie 70
égalité 73
église 61
électeur 18
élection 18
embouteillages 55
empereur 84
enclos 68
énergie 25
ennemi 74
entre-deux-guerres 84
éolienne 25
équipe 23
escalade 63
escargot 28
esclave 47
Espagne 8, 40, 80
Estaque 56
étable 68
étranger 25, 31
être élu 19
être protégé 16
être soigné 16
Étretat 22, 34, 37
euro 14, 85

F

fabriquer 25
faire du mal 17
faire la grève 21
faire le guet 70, 74
falaise 37, 41, 43, 44
farine 27
feria 42, 45
fête nationale 15
feu d'artifice 15, 73
figatellu 29
fleur de lys 15
foie gras 26, 28
fondue 28
football 90
forêt de Fontainebleau 22
forgeron 69
Fort Boyard 40, 45

foulard 91
Français 12
français 13, 47, 57
frangipanier 47
fromage 26, 91
frontière 39
fruit 27
funiculaire 58
fusée 46
Futuna 10, 47
Futuroscope 34, 40, 44

G

galerie des Glaces 72
galette 28
gallo-romain 58
gamelle 74
gare 52, 58
Garonne 80
gastronomie 23, 28
Gauguin 89
Gaule 69
Gaulois 55, 59, 68, 84
Géricault 88
Gévaudan 41
gourde 75
goût 28
graine 27
Grand'Place 60
Grande Arche de la Défense 52
granit 37
grenier 68
Grenoble 63
grenouille 29
Guadeloupe 11, 46
Guédelon 39
Guérande 36
guerre 20, 75, 85
guerre de Cent Ans 85
guerrier 69
Guignol 58
Guyane 11, 46

H

habitant 64
hachis parmentier 28
Haut-Kœnigsbourg 35, 39
haute couture 24
histoire 9, 15, 67
homme politique 21

homme préhistorique 84
Honfleur 37
hôpitaux 25
hortillonnage 38
hôtel de ville 53, 60
Hugo 87
huile 27, 91
huître 26, 29, 41, 42
hymne national 15

I

île 11, 40, 46
île des Pins 47
îles du Frioul 56
indépendance 85
infirmière 74
ingrédient 29
Institut Lumière 59
interdit 31, 45
Internet 77
Invalides 52
isoloir 18
Italie 8, 27, 29, 41, 80

J

jambon 26, 28
jardin 52, 54, 72
jarre 68
Jeanne d'Arc 86
jeu électronique 76
jouer aux échecs 70
jouet 25, 77, 90
joute sétoise 41
Jura 35, 80, 90
jus 27

K

Kerguelen 47
kiwi 27
Klein 89
Kourou 46

L

La Bresse 35, 39
lait 26
La Joconde 88, 90
La Fontaine 86
Landes 28
langue 13, 31, 47, 57
La Réunion 10, 46
latrines 70

légume 27
Le Havre 34, 61
liberté 73
ligne de front 75
Lille 35, 60
Limoges 40
loi 17, 21, 31, 53
Loire 34, 80
Lorient 34, 36
Lorraine 38
Louis XIV 72, 85, 86
Louis XVI 73, 84, 86
Louvre 22, 52, 88
Luberon 43
luge 35, 39
Lumière 59, 87
Lumigny 57
Lunaret 62
Luxembourg 8, 80
Lyon 42, 58, 64, 88

M

macaron 91
machine à écrire 76
mai 1968 85
maillot 90
maire 20
maison 61, 69
maladie 20
Manche 8, 34, 80, 84
manchot 47
Manet 88
maquillage 24
Marais poitevin 40, 44
marais salant 26, 37
marchand 71
marché 23, 55
marché de Noël 60
Marianne 15
Marie-Antoinette 84, 86
Marseille 41, 56, 64
Martinique 11, 46
Massif du Morvan 34
Massif central 41, 80
Matisse 89
Mayotte 10, 46
médecin 72
médicament 25
menhir 36, 84
mer du Nord 8, 34, 80
mer Méditerranée 8, 41, 56, 80
métro 52, 54
métropole 10, 49
mille-feuille 29
Millet 88

mine 75
ministre 20, 53, 73
Minitel 76
Miquelon 11, 46
miroir d'eau 63
mitrailleuse 75
Mobylette 76
mode 24
moine 71
Molière 86
monde 10, 22, 24, 46
Monet 87, 89
Mont-Saint-Michel 22, 34
montagne 9, 48
mont Blanc 41
montgolfière 84
Montpellier 41, 62
monts d'Arrée 34
monument 22, 49, 53, 62
Mosquée de Paris 53
moule 29
moulin 79
moutarde 35
Moyen Âge 71
musée 22
Musée d'Orsay 22, 88
Musée de l'Orangerie 89
musicien 36

N

Nantes 60
Naours 38
Napoléon 84, 86
nature 20, 63
navette de Marseille 91
Nice 41, 62
Niépce 86
Nîmes 41, 42
noble 73
Noirmoutier 37
no man's land 75
Notre-Dame-de-la-Garde 56
Notre-Dame de Paris 22, 52
Nouvelle-Calédonie 10, 47

O

obus 75
océan Atlantique 8, 10, 34, 40, 80
océan Indien 10

océan Pacifique 10
officier 74
Oléron 29, 40
Olympique de Marseille 57
Olympique lyonnais 59
Opéra Bastille 53
Opéra Garnier 52, 54
oppidum 68
orfèvre 68
ostréiculture 26
otarie 47
oubliettes 71
outil 68

P

pain 27
palais de l'Élysée 20, 52
palais du facteur Cheval 41, 42
panneau 90
papier 14
parapluie 90
parc 43
parc Borély 56
parc de la Tête d'Or 59
parc Monceau 52
parc Montsouris 52
parfum 24, 91
Paris 35, 52, 54, 64, 88
parlement de Bretagne 61
Parlement européen 60
parler 13, 77
passeport 14, 39
Pasteur 87
patriotisme 23
pays 8, 10, 13, 15, 23, 39, 75
paysan 71
peau de bête 68
pêche 26
pelote basque 40, 44
périphérique 52
périscope 74
permis de conduire 14
Perros-Guirec 34, 37
personnalité 86
petit déjeuner 91
petit salé 29
philosophe 85
Piaf 87
pièce 14, 68
pièce d'eau 72
Pierrelatte 42

piperade 28
piton de la Fournaise 46
pizza 29
place Bellecour 58
place de la Bourse 63
place de la Comédie 62
place de la Concorde 52
place du Nombre-d'Or 62
place Grenette 63
plage 39, 45
planète 9
plat 29
plongeur 47
poisson 26
Poitiers 34, 40, 44
police 17
Polynésie 11
pont 42, 49
pont-levis 70
Pont-Neuf 62
porc 26, 68
porcelaine 40
port 37, 56, 61, 63
pot-au-feu 28
potager 27
poulet 26, 29
pré 68
préfecture 81
Première Guerre mondiale 74, 84
Premier ministre 20
président de la République 20, 53
produit de beauté 24
profiterole 29
Promenade des Anglais 62
publicité 90
puits 70, 79
Puy-du-Fou 34, 36
Pyrénées 40, 80

Q

quai 63
quiche 28

R

raisin 27
randonnée 38
ratatouille 29
récent 78
recette 29

recherche médicale 25
région 13, 43, 57, 61, 82
règle 17, 73
Reims 35, 61
relief 80
religion 16
rempart 68
Renaissance 85
Rennes 61
Renoir 88
requin 47
respect 16
restaurant 23
révolte 85
révolution 73, 84
Rhin 80
Rhône 58, 80
rillettes 28
robot 77
Rocamadour 40, 45
Rodin 87
roi 71, 72
Roland-Garros 23, 52
Romain 69
roquefort 41
rougail 29
Royal de Luxe 60

S

sac à main 91
Sacré-Cœur 52, 90
Saint-Barthélemy 46
Saint-Exupéry 59, 87
Saint-Malo 36
Saint-Martin 46
Saint-Nicolas 35
Saint-Pierre 11, 46
saison 27
salade 29
salle à manger 79
Saône 58, 80
sandwich 28
sardines 28
Sartre 87
savoir-faire 24
savon de Marseille 56, 91
scooter 77
Seconde Guerre mondiale 75, 85
secrétaire du roi 73
seigneur 70, 79
Seine 52, 80
sel 26
Sénat 52
serf 71
serviteur 73

signer 18
skatepark 58
ski 35
soigner 74
soldat 74, 85
Solex 76
Soufrière 46
Soulages 89
souvenir 90
spectacle 23
sport 23
Stade de France 53
stade de Gerland 59
stade de rugby 62
Stade Vélodrome 57
steak 26
Strasbourg 35, 60
Suisse 8, 41, 80
supermarché 27

tableau 88
tablier provençal 90
Tahiti 11, 47, 89
tank 75
tapisserie 36
Tarn 40
tee-shirt 90
télévision 76
télégramme 75
téléphone 74, 76, 77
téléphonie 25
terre Adélie 47
terres Australes et
Antarctiques 10
Thau 42
théâtre 23, 63, 73
timbre 14
toit en chaume 69
Toulon 41, 63
Toulouse 62, 64, 91
tour 70
Tour de France 23
tour Eiffel 22, 52, 90
touriste 22
tour Montparnasse 52
tournesol 27
tournoi 23
traboules 58
tradition 23
train 24, 84
tranchée 74
travail 13, 17, 20, 63
Trocadéro 52

urne 18

usine 40
usine nucléaire 25

vaccin 25
vache 26, 68
vague 37, 45
Val-d'Ajol 28
vallon des Auffes 56
vanille 46
Vendée Globe 23
vent 45
Vercingétorix 69, 86
verger 27
Versailles 34, 72
viaduc de Millau 41, 45
Vichy 91
vignoble 27
Viking 85
ville 20, 51, 63, 81
ville souterraine 38
Villette 53, 54
vin 27, 29, 38, 91
Vingt-Quatre Heures
du Mans 23
violette 91
visiter 22
vitrine 54
voiture 24, 77
voix 19
volaille 68
volcan 41, 43, 46
Vosges 35, 38, 80
vote 18, 85
voter 18, 21
voyager 23

Wallis 10, 47

Y

yaourt 26

Z

zoo 57, 62